MENTES
LIBRES

DOMINA EL LENGUAJE CORPORAL

Técnicas para leer expresiones y acciones del cuerpo

INDICE

Introducción

Capítulo 1: Introducción al lenguaje corporal

Capítulo 2: Entender las posiciones positivas y negativas

Capítulo 3: Observar cómo reacciona la gente a cierto lenguaje corporal

Capítulo 4: Establezca una meta para la imagen que desea proyectar

Capítulo 5: Escenarios de práctica en el espejo

Capítulo 6: Entrena tu cuerpo para que reaccione positivamente

Capítulo 7: Aprende a derribar el muro de alguien con una actitud positiva

Capítulo 8: Comprender la importancia de la simetría

Capítulo 9: Comprender la importancia de la coincidencia con la otra persona

Capítulo 10: Lo que se puede lograr con el lenguaje corporal incorrecto

Conclusión

Introducción

El lenguaje corporal es otra forma de comunicación sutil que a menudo se practica consciente o inconscientemente. Este "lenguaje" está ganando rápidamente el interés de mucha gente. El lenguaje corporal es muy relevante, pero a veces puede ser interpretado erróneamente, sin embargo sigue siendo útil.

Capítulo 1: Introducción al lenguaje corporal

Hay muchas formas de comunicación y a veces el lenguaje corporal de una persona puede indicar más cosas que la palabra hablada. Aprender a entender el lenguaje corporal puede ser muy beneficioso tanto en el ambiente de trabajo como en un frente más personal.

El lenguaje corporal revela los sentimientos personales y las reacciones a los sentimientos de otras personas. Sin embargo, aún no se ha demostrado que sea una forma de ciencia y no es un indicador real de nada y a menudo es manipulado.

Lo básico

La mayoría de las personas poderosas usan esta forma de la palabra no dicha para hacer juicios que han demostrado ser una forma muy efectiva de obtener y dar información. Algunos sectores califican todos y cada uno de los movimientos del cuerpo para ser categorizados como movimiento corporal; mientras que otros van más allá para decir que incluso las técnicas de respiración caen en esta categoría también.

Cuando se conoce a alguien por primera vez, suele ser beneficioso poder leer sus señales de lenguaje corporal para evaluar a la persona o la situación.

Sin embargo, una vez más puede no ser la mejor manera de formarse una opinión porque, como se mencionó anteriormente, el lenguaje corporal puede ser manipulado. El arte del lenguaje corporal se intercambia e interpreta constantemente entre personas en diferentes niveles de comunicación alternativa.

Mientras un individuo está ocupado leyendo el lenguaje corporal de aquellos con los que interactúa, ellos al mismo tiempo también están leyendo el lenguaje corporal del individuo. Las personas que tienen el hábito de leer el lenguaje corporal siempre tienen la ventaja sobre cualquier situación, asi que tener algún conocimiento sobre este tema sería bueno.

Capítulo 2: Entender las posiciones positivas y negativas

Para poder leer con bastante precisión las diversas señales del lenguaje corporal, primero hay que tener un conocimiento básico de todas las posibles posiciones y significados que se asocian y proyectan con estas diversas posturas.

Las posturas

Cuando el comportamiento de una persona personifica la confianza, el lenguaje corporal proyectado sería una caminata rápida y erguida. Este movimiento transmite con éxito la imagen y la mente de alguien centrado y seguro de sí mismo.

La clásica postura de la mano en las caderas y piernas ligeramente separadas, típicas de las personas que tratan de retratar la autoridad, en realidad se lee como estar listo para cualquier reacción externa y tendencias de agresión potencial. También puede ser usada como una herramienta intimidatoria.

Sentarse con las piernas ligeramente separadas para los hombres indica confianza y un comportamiento muy relajado. Esta interpretación del lenguaje corporal también se aplica a sentarse con las manos juntas detrás de la cabeza y las piernas cruzadas o estiradas.

La posición abierta de las palmas de las manos muestra sinceridad, apertura e inocencia, así como una leve sonrisa fácil o las esquinas de la boca ligeramente levantadas.

Cuando se trata de los signos de lenguaje corporal negativo, desafortunadamente hay mucho para elegir y bastante fácil de ver e interpretar. Por ejemplo, sentarse con las piernas cruzadas y patadas ligeramente significa aburrimiento, mientras que los brazos cruzados en el pecho indican que el individuo está a la defensiva.

Caminar con las manos en los bolsillos y los hombros ligeramente encorvados, es una clara indicación de abatimiento. Tocar o frotar ligeramente la zona de la nariz se considera más comúnmente como rechazo, duda o mentira. Frotar el ojo, lo cual no es prudente, por decir lo menos, podría simplemente significar cansancio o sensación de sueño o tener un signo más profundo de duda e incredulidad.

La ira y la frustración suelen mostrarse como manos apretadas detrás de la espalda y una posición rígida de la columna vertebral. A veces la aprehensión también se retrata de esta manera.

Capítulo 3: Observar cómo reacciona la gente a cierto lenguaje corporal

Estar alerta a la lectura de las diversas señales no verbales que la gente da constantemente en forma de lenguaje corporal es una cosa muy ventajosa para poder hacer. Afortunadamente no es tan difícil de hacer y algunas personas son incluso muy fáciles de leer ya que son muy abiertas y expresivas.

Mira

Sin embargo, aprender a estar atento a estos movimientos, a veces muy sutiles, requiere cierta práctica y comprensión. Las personas que no están en sintonía con su entorno son menos sensibles al lenguaje corporal. Ser consciente de las diversas reacciones corporales a propósito e intensamente permitirá una mayor comprensión de la persona o la situación.

La mayoría de las reacciones se pueden clasificar cómodamente en dos categorías distintas.

La reacción positiva y la reacción negativa, sin embargo las interpretaciones pueden no ser siempre tan exactas como se pensaba.

Por ejemplo, el hecho de estar más cerca de otra persona podría interpretarse como una sensación de comodidad y familiaridad con dicha persona, mientras que la acción de estar más lejos puede percibirse como una actitud ligeramente distante o simplemente menos cómoda o como el hecho de no querer fomentar una relación más estrecha.

Aunque todas las suposiciones son igualmente naturales, podría ser totalmente erróneo por otras razones menos obvias, como tal vez el perfume o la fragancia que utiliza un individuo es abrumador y, por lo tanto, bastante desconcertante.

Otra señal de lenguaje corporal comúnmente interactuada es la apertura a ser abrazado o besado. Esta acción en particular muestra claramente la personalidad de la persona o su falta de ella. Al poder leer esto, los que están alrededor pueden extender la acción o usar una forma más reservada de contacto corporal.

Cuando se intenta medir una situación o una nueva personalidad a un grupo de personas ya existente, las reacciones habladas o implícitas a través del lenguaje corporal son muy útiles.

El lenguaje corporal del recién llegado también se va a reflejar en las reacciones correspondientes de los ya establecidos en el escenario particular.

Capítulo 4: Establezca una meta para la imagen que desea proyectar

La mayoría de la gente llega a un punto en la vida en el que desea hacer un cambio completo para proyectar una nueva imagen. Después de ser la vieja imagen anticuada durante tanto tiempo y encontrar sólo un estilo de vida aburrido que se adapte a ella, la idea del cambio es más que bienvenida.

Realizando

Para hacer este ejercicio de cambio de imagen en uno mismo tiene que haber un cierto objetivo claro hacia el que trabajar. Esto es para asegurar que el ejercicio se complete hasta el final y con éxito. Algunas de las áreas que vale la pena explorar son el estilo personal, la elección de la ropa, las condiciones corporales personales son sólo algunas de ellas.

Cambiar el estilo personal de un individuo es casi siempre el primer objetivo a alcanzar en un cambio de imagen general. El lenguaje corporal habitual general debería poder complementarse con el cambio o ajuste del estilo personal.

Tener un buen estilo personal eventualmente trascenderá en la habilidad de hacer contacto visual con confianza y así retratar más la confianza en el lenguaje corporal también.

La vestimenta general de un individuo también está vinculada a la personalidad y al lenguaje corporal practicado. Las personas que generalmente prefieren vestirse de manera informal dan la impresión de que son fáciles de llevar cuando se les une el correspondiente lenguaje corporal de un comportamiento muy relajado.

Por el contrario, los que están siempre impecablemente vestidos tienen un lenguaje corporal bastante rígido. Si la idea es ser más profesional en el comportamiento que en la imagen correspondiente también debe proyectarse esto.

Para algunos, el hábito original de un mal aseo es una norma. Si debe haber alguna forma de interacción con los demás, especialmente de una manera más amistosa, entonces el tema de la limpieza personal debe ser abordado.

Tener una imagen en mente del resultado deseado es el primer paso para considerar y cambiar realmente el comportamiento general del individuo mediante señales de lenguaje corporal nuevas y más apropiadas.

Capítulo 5: Escenarios de práctica en el espejo

Hoy en día casi todo se toma al pie de la letra y para la mayoría; esta forma de leer a la gente no sólo es beneficiosa sino que es bastante rápida. Sin embargo, el peligro es que se puedan leer interpretaciones erróneas y así se forme una idea equivocada.

Ensaye

La vida es como un escenario y para llegar a cualquier parte todos deben jugar el juego cooperativamente. La mayoría de la gente tiene el hábito de practicar algunas rutinas de lenguaje corporal frente al espejo. Esta es una buena manera de ver lo que otras personas están viendo y de hacer los cambios necesarios para asegurar que los mensajes correctos se transmitan a través del lenguaje corporal utilizado.

La práctica de escenas en el espejo también permite que el individuo gane la confianza necesaria en el encuentro propuesto para el que está practicando. Esto también asegura que los movimientos corporales y faciales representen los resultados deseados y no sean malinterpretados.

A veces las personas, sin darse cuenta, representan exactamente lo contrario de lo que realmente quieren y esto puede causar problemas innecesarios a todas las partes involucradas. El lenguaje corporal es una forma sutil de transmitir el mensaje y ciertamente hay que asegurarse de que el mensaje no se asuma ni se presuma.

Por lo tanto, al practicar las diferentes poses y expresiones frente a un espejo, la mente puede realmente difundir lo que el ojo percibe.

Una vez que se dominan la acción del lenguaje corporal y los contornos faciales deseados, el individuo podrá tener una nueva confianza encontrada en la repetición de todo ello en el momento apropiado. Esta confianza es aparente porque el ojo de la mente ya ha estado al tanto de la confianza personificada que muestra la imagen del espejo. También subconscientemente la persona se vuelve más consciente de la "nueva" imagen en lugar de la "vieja" imagen cuando realmente desempeña el papel que se pretende practicar.

Capítulo 6: Entrena tu cuerpo para que reaccione positivamente

Como ya se ha establecido firmemente, el lenguaje corporal es una forma de rastrojo muy importante para comunicar sentimientos y reacciones al entorno. También se ha establecido previamente el hecho de que el lenguaje corporal también puede ser manipulado para obtener una ventaja o circunstancias requeridas.

La manera correcta

Aquí hay algunas áreas en las que se puede

entrenar o manipular el cuerpo para que reaccione de una determinada manera con el fin de lograr los resultados deseados.

- El contacto visual - este es un aspecto importante a dominar cuando se trata de personas. Asegurar un contacto visual constante permite al receptor estar seguro de que hay algún nivel de interés en lo que se está discutiendo. Ya sea fingido o no, el contacto visual es algo que vale la pena aprender a ejercitar. También hace que el receptor se sienta más cómodo y seguro en la situación.

- La postura es otra posición corporal importante que dicta no sólo la sensación real de cansancio y de estar agotado, sino que también hace que estos sentimientos se manifiesten físicamente. Esto se debe a que los hombros encorvados o caídos, así como las posiciones encorvadas contribuyen a la inhibición de una buena y profunda respiración. Esto a su vez dará la impresión de estar incómodo o nervioso.

- Utilizar las posiciones de la cabeza para dictar el mensaje de lenguaje corporal percibido es también otra forma efectiva de hacer que una situación sea cómoda o incómoda. Inclinar ligeramente la cabeza mientras se habla o se escucha implica un comportamiento amistoso, mientras que mantener la varilla de la cabeza recta y alineada con la espalda y la columna vertebral implica seriedad e incluso molestia.

- El popular cruce de brazos indica claramente la desaprobación desde el

principio del tiempo. Comúnmente hecho desde una posición autoritaria les dice a todos que retrocedan y le den espacio al individuo. Por otro lado, las manos que cuelgan flojas o que se mantienen detrás de la espalda implican estar en control y ser capaz de asumir cualquier cosa, lo cual es un buen lenguaje corporal a desarrollar para proyectar los efectos deseados.

Capítulo 7: Aprende a derribar el muro de alguien con una actitud positiva

A veces, cuando la comunicación verbal no funciona, hay que encontrar otras alternativas para transmitir el mensaje de manera eficaz y rápida. Cada uno tiene su propia forma de expresarse y los que están familiarizados con las señales del lenguaje corporal no tendrán problemas para interpretarlas.

La forma de entrar

Para crear una situación cómoda o mejorar una situación incómoda, el uso de diferentes posiciones de lenguaje corporal puede ayudar. Estas diversas posiciones se utilizan para crear la diferencia deseada en la forma en que las personas reciben los mensajes implícitos, el estado de ánimo general del receptor o incluso para lograr un equilibrio en los que están a su alrededor.

Algunas posiciones corporales comúnmente practicadas y recomendadas que pueden ayudar a que los que están alrededor se sientan cómodos e incluso más felices son las siguientes:

- Sonreír - esto muy raramente provoca una respuesta o reacción negativa.

- La mayoría de las personas cambiarán casi inmediatamente su reacción de respuesta negativa por una positiva cuando se les ofrezca una sonrisa. Sería difícil responder a una sonrisa con una dura reacción negativa.

- Una posición sentada con confianza es también otra forma de "sacudir" cualquier elemento negativo tanto en el individuo como en los que le rodean. Dando la impresión de estar relajado, pero con un cierto grado de alerta, el individuo será capaz de desactivar cualquier posible reacción de los individuos que se desplacen. También anima a los que están alrededor a ser lo más enérgicos posible con la posición recta y erguida.

• Al practicar momentos más lentos y precisos, el individuo también crea una sensación de calma a su alrededor. Esto, a su vez, también anima a los que están a su alrededor a estar igual de tranquilos y relajados.

Todo esto cuando se pone en práctica regularmente hasta que se vuelve bastante natural causará que los que están a su alrededor también se vean afectados positivamente. Cuando esto se logra, el porcentaje de confrontaciones se aprende y se mantiene bajo control.

Capítulo 8: Comprender la importancia de la simetría

Lograr la simetría en la vida es una meta que vale la pena alcanzar. En la vida todas las cosas deben tener algún tipo de equilibrio. Técnicamente, los patrones de simetría nos ayudan a organizar conceptualmente los pequeños mundos individuales. Para el individuo aún más exigente técnicamente, la simetría se explica mejor como un acontecimiento en la naturaleza y las inversiones de los artistas, artesanos, músicos, coreógrafos y matemáticos.

Igual

Para el individuo, sin embargo, esto es más que sólo lograr un equilibrio.

Siguiendo la regla general de que en todas las cosas hay una acción y una reacción sería una forma más simple de explicar este término implícito. Ser capaz de reaccionar o causar una cierta reacción es, de alguna manera, ejercer cierto control sobre el resultado de una situación dada.

Si un individuo desea participar en un escenario en el que el resultado es beneficioso para todos, entonces el lenguaje corporal pertinente debe estar enfocado y específicamente ajustado a dicho resultado. La respuesta a los diferentes lenguajes corporales practicados y planificados debe tener la intención de lograr cierto nivel de simetría en su aplicación.

A veces, o tal vez la mayoría de las veces, la simetría de cualquier situación debe reajustarse para obtener la reflexión pretendida o deseada.

Si se pretende que la reacción simétrica necesaria y deseada sea positiva, entonces el lenguaje corporal correspondiente debe hacerse de manera que comprometa los mismos resultados reflexivos positivos.

El envío de las señales corporales que personifican el aura positiva casi siempre podrá lograr el resultado positivo que es simétrico por naturaleza. Lo mismo se aplicaría al lenguaje corporal generado de forma opuesta.

Técnicamente, el sistema simétrico puede dividirse en unas pocas partes distintas que son la simetría de rotación, la simetría de reflexión, la simetría de traducción y la simetría de reflexión de deslizamiento. Todas ellas pueden interrelacionarse y reflejarse en los diversos lenguajes corporales correspondientes.

Capítulo 9: Comprender la importancia de la coincidencia con la otra persona

En todos los entornos, la mayoría de las personas se esfuerzan por ser complacientes y receptivas a las necesidades de los demás. Desafortunadamente esto se ha convertido lentamente en un estado de arte moribundo para practicar.

Algunas sugerencias

En los diversos escenarios agitados y auto enfocados de hoy en día, la gente a veces pierde de vista que sus acciones individuales y patrones de habla no sólo se afectan a sí mismos sino que también afectan a los que están a su alrededor.

En algunos casos las consecuencias son tan amplias, que a veces es difícil entender cómo una acción o palabra que se percibe como un pequeño gesto insignificante puede tener efectos monumentales.

El lenguaje corporal puede tener este inusual resultado reflexivo. Lo único importante que hay que tener en cuenta es que cualquier lenguaje corporal que se ejerza tendrá una reacción u otra.

Por lo tanto, la idea detrás de la práctica de controlar los movimientos de lenguaje corporal previstos debe ser siempre la de obtener los resultados positivos previstos.

Crear una situación cómoda o incómoda, intencionadamente o no, es siempre la idea detrás de tratar de igualar a los demás, a través del uso del lenguaje corporal.

Esta es una herramienta efectiva que a veces es mucho más efectiva que el uso del poder de la palabra hablada. Se ha dicho, ya sea en broma o en serio que "las miradas pueden matar" o "las acciones hablan más fuerte que las palabras". Aunque este último no se refiere real o específicamente a las acciones reales, hay algunas connotaciones que se pueden vincular a él.

Al considerar siempre las acciones y las

prácticas de lenguaje corporal, sería ventajoso hasta cierto punto, ya que se trata de un instrumento muy eficaz para utilizarlo tanto en la vida personal como en la profesional de un individuo.

También en los entornos sociales el uso y la manipulación del lenguaje corporal para obtener la respuesta reflexiva prevista depende en gran medida del estilo de ejecución de dicho lenguaje corporal.

Capítulo 10: Lo que se puede lograr con el lenguaje corporal incorrecto

A menudo las personas no se dan cuenta del impacto del lenguaje corporal y sus consecuencias en cualquier situación o escenario particular.

Algunos hechos

La mayoría de la gente pasa el día sin que esta realidad salga a la luz. Sin embargo, para los que disciernen y algunos tristes e inteligentes pocos, el uso intencionado del lenguaje corporal en la vida cotidiana ha demostrado ser una herramienta muy eficaz y beneficiosa.

Practicar para ser consciente y continuamente consciente de esta herramienta a veces muy efectiva es un arte que vale la pena explorar. Sin embargo, por otra parte, el uso incorrecto o subconsciente de la herramienta de lenguaje corporal puede producir resultados innecesarios y a veces molestos. El uso incorrecto del lenguaje corporal puede provocar reacciones y reflexiones que no son necesarias o deseadas y, por lo tanto, causar un gran inconveniente tanto a la persona que demanda el lenguaje corporal como al receptor percibido. Tal interpretación errónea puede terminar causando las reacciones deseadas casi opuestas.

Especialmente en las relaciones en las que se ejerce un lenguaje corporal particularmente inocentemente denominado y se reflejan las consecuencias de dichas acciones pueden y a menudo se perciben erróneamente, lo que da lugar a un proceso muy desordenado de intentar "enderezar" todo. También en los negocios, una percepción errónea de la herramienta de lenguaje corporal puede causar resultados muy perjudiciales. Por lo tanto, es realmente prudente practicar para ser siempre consciente del lenguaje corporal que se implica y se practica.

Esto es necesario para evitar cualquier inconveniente innecesario.

Conclusión

Hay muchos resultados positivos que se pueden obtener del uso practicado del lenguaje corporal positivo. Pero para entender y adquirir las habilidades para practicar conscientemente las tácticas de lenguaje corporal positivo, primero hay que tener algún conocimiento básico de las expresiones y acciones reales involucradas.

Al hacerlo, existe una buena posibilidad de evitar que las consecuencias de las señales o acciones incorrectas del lenguaje corporal se reflejen en el comportamiento de una persona, ya sea consciente o inconscientemente.

Visita nuestra página de autores en Amazon! ¡Y consigue más MENTES LIBRES!

http://amazon.com/author/menteslibres

Si lo deseas, puedes dejar tu comentario sobre este libro haciendo clic en el siguiente enlace para que podamos seguir creciendo! ¡Muchas gracias por tu compra!

https://www.amazon.com/dp/B084CXGZG5